Édition originale de cet ouvrage
publiée par DEMETRA en Italie,
sous le titre *Il brutto anatroccolo*
© 1999, Demetra S.r.l.
Adaptation : GIOVANNA PIMAZZONI
Illustrations : GIORGIO SCARATO et ENRICO VALENZA
Composition : SEDIGRAF
Maquette : ILARIA REBONATO

© 2001, MAXI-LIVRES Éditions,
pour l'édition française
Traduction de l'italien : Anne GUGLIELMETTI
Adaptation PAO : BUROSCOPE
Réalisation : BELLE PAGE, Boulogne

Imprimé en Italie
ISBN 2-7434-1852-4

D'après HANS CHRISTIAN ANDERSEN

Le Vilain Petit Canard

Éditions du Korrigan

L'été était revenu et tout, dans les bois, le marais ou sur les bords des lacs, était en fleurs. Les murs du vieux château étaient couverts d'une luxuriante végétation descendant jusqu'aux profonds fossés qui l'entouraient.

Ces fossés pleins d'eau étaient un lieu tranquille et sûr pour les canards. Et c'est là, au pied du château et à l'abri du feuillage, qu'une cane avait fait son nid. Elle couvait ses œufs depuis assez longtemps et commençait à s'ennuyer, d'autant que ses compagnes nageaient déjà en toute liberté. Un matin, sa longue attente prit fin. Les œufs furent

Un matin, la longue attente
de maman cane prit fin :
les œufs s'ouvrirent sur
de timides canetons.

brisés et, se dégageant des coquilles, les nouveau-nés apparurent et se mirent à piailler.

– Piii, piii !

– Coin, coin ! répondait maman cane, leur enseignant ainsi le langage des canards.

Les canetons observaient ce qui les entourait avec la plus grande curiosité.

– Que le monde est beau, et qu'il est grand !

– Beaucoup plus grand que ce que vous pouvez imaginer !

Maman cane contemplait ses petits avec fierté. Tous étaient en parfaite santé et très éveillés. Ah ! elle n'avait jamais vu petits canards plus beaux ! Elle se mit en devoir de les compter.

De l'œuf le plus gros sortit
un caneton différent et
qui était très, très vilain…

– Un, deux, trois, quatre, cinq... six... mais... il en manque un ! Ah, non ! c'est vrai... il reste encore ce gros œuf. Quand donc se décidera-t-il à éclore ?

Dans l'après-midi, elle reçut la visite d'une vieille cane.

– Mais tu es encore en train de couver !

– Il ne me reste plus que cet œuf et il ne veut pas s'ouvrir !

L'amie voulut voir de plus près le gros œuf qui tardait tant à éclore.

– Le voilà : vois-tu comme il est gros ?

– Oui, oui, oui ! Il m'est arrivé la même chose autrefois : c'est un œuf de dindon, ne t'en occupe plus. Apprends plutôt à nager à tes autres petits !

– Quels beaux petits vous avez là !
Dommage que celui-ci
soit si gros et vilain !

– Ah oui ?... Oh, à vrai dire, je... je vais le couver encore un peu !

La vieille cane soupira et s'en alla.

Peu après, le gros œuf se brisa et le dernier-né sentit à son tour la chaleur du soleil.

Mais Dieu ! que ce poussin était gros et vilain ! Maman cane en était toute perplexe.

– Piii, piii !

– Comme c'est étrange ! Il ne ressemble pas du tout à ses frères, et il est si gros !

Le lendemain, maman cane réunit ses petits et se baigna.

Le dindon gonfla
ses plumes et,
de son stupide
« glou, glou, glou ! »,
effraya le caneton.

– Coin, coin, coin, nous verrons bien : si c'est vraiment un poussin de dindon, il ne voudra pas sauter dans l'eau du fossé !

Tous les canetons se mirent à l'eau et flottèrent, plus légers que des petits bateaux en papier. Maman cane vit que le gros poussin s'en tirait parfaitement : ce n'était donc pas le petit d'un dindon.

– Coin, coin, coin ! Suivez-moi, je vous emmène à la basse-cour, vous y verrez une joyeuse compagnie ! Canards, poules et dindons se disputent et cancanent à longueur de journée !

Le coq non plus
ne le supportait pas
et il le chassa
d'un terrible cocorico !

Mais ne craignez rien, je serai là pour vous défendre !

Dans la basse-cour, deux canards se disputaient la tête d'une anguille.

Tandis qu'ils se battaient à coups de bec, le chat passant par là, plus vif que l'éclair, s'empara de la tête de poisson et les

Très vite, ses frères voulurent
qu'il s'en aille et se mirent à lui dire
toutes sortes de méchancetés.

deux canards en restèrent bouche bée.

– Qu'est-ce que je vous disais ? Apprenez comment vont les choses en ce monde ! Et surtout, méfiez-vous du chat !

À présent, tous commentaient l'apparition de maman cane et de ses petits.

– Ah ! comme si on n'était pas déjà assez nombreux et à l'étroit dans cette basse-cour !

– Oh ! mais ce caneton est une véritable horreur ! Il est si bizarre et tellement gros ! Nous n'en voulons pas !

Un canard se précipita alors sur le petit pour pincer sa tête déplumée, et maman cane dut le défendre avec vigueur.

Même la fermière
lui courait après
pour lui donner des coups de pied.

– Laissez-le tranquille, il n'a rien fait de mal !

– Il est laid et bizarre ! Qu'il s'en aille, ou il en verra de toutes les couleurs !

Maman cane montra à ses enfants une vieille cane, très grasse, qui avait un chiffon rouge attaché à une patte.

– Vous voyez celle-là, là-bas ? Eh bien elle a du sang espagnol ! Et ce chiffon est la marque de son rang ; hommes ou animaux, tous doivent la respecter. Allez à elle poliment et inclinez-vous !

La vieille cane salua maman cane aimable-ment, lui fit compliment de ses poussins puis s'ex-clama :

La vie du
vilain petit canard
était devenue un enfer :
il ne lui restait plus qu'à partir !

– Oh, quel dommage ! ce petit est si gros et si vilain !

– C'est parce qu'il est resté trop longtemps dans l'œuf, s'empressa d'expliquer maman cane. Mais c'est un garçon et il deviendra robuste et peut-être même beau ! C'est un brave petit et il nage mieux que ses frères !

– Bien ! En tout cas, soyez tous les bienvenus !

Les autres animaux, hélas ! n'étaient pas aussi tolérants. Le dindon gonfla ses plumes et fonça sur le malheureux caneton.

– Glou, glou, glou !

Alors qu'il fuyait,
des passereaux s'envolèrent et il pensa :
« Je suis si laid que je leur ai fait peur ! »

Terrorisé, le petit voulut s'enfuir mais tomba nez à nez avec le coq.

– Cocoriiiiico !

Toute la basse-cour se moquait de lui et le bousculait.

– Tu es vraiment trop laid, et si bizarre !

Désespéré, il s'en alla,
loin de tous, par les prés,
les champs et les bois.

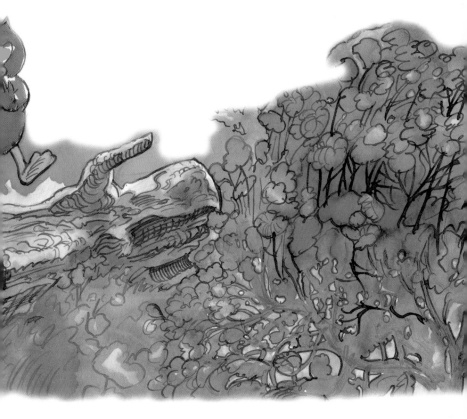

– Va-t-en ! Ouste ! Dehors !

La vie du vilain petit canard devint de plus en plus pénible : personne ne le voulait pour compagnon. Au fil des jours, ses frères aussi se mirent à lui dire des méchancetés :

– Ne t'approche pas de nous, petit monstre !

– Ah ! si seulement le chat pouvait te croquer tout cru !

Maman cane ne savait que faire et, pour tout dire, elle aurait préféré ne plus jamais le voir. Même la fermière lui courait après pour lui donner des coups de pied.

C'en était trop : il sauta par-dessus la palissade et la haie qui entouraient la basse-cour et s'enfuit.

Le soir venu, fatigué, humilié
et ne sachant où aller,
il s'arrêta près du marais.

Alors qu'il s'enfonçait dans les fourrés, des passereaux s'envolèrent brusquement.

– Ils ont fui en me voyant, tant je suis laid !

Désespéré, il traversa des champs, des prés et des bois et, vers le soir, il arriva au marais, où il se cacha, fatigué et humilié, parmi les roseaux. Le lendemain matin, deux canards sauvages, impertinents et curieux, le découvrirent.

– Que fais-tu ici, et qui es-tu ?

– Il n'y a pas à dire, tu es vraiment vilain ! Du moment que tu te tiens loin de nos filles, tu peux bien être aussi vilain que tu veux ! Comment aurait-il pu songer à se marier ? Lui qui ne demandait qu'une chose : qu'on le laissât en paix ! Quelques

Dans le grand marais
où il s'était réfugié
vivaient toutes sortes
de bêtes inconnues.

jours plus tard arriva une famille d'oies sauvages. Deux jeunes mâles, pleins d'aplomb et d'insolence, le remarquèrent.

– Eh ! l'ami ! Que fais-tu tout seul ? Tu es si vilain que tu nous plais ! Viens vivre avec nous !

C'est alors que retentirent des coups de feu. De grandes bandes d'oies sauvages s'élevèrent, épouvantées, dans le ciel, et les chasseurs entrèrent dans le marais. Peu après, les deux jeunes mâles étaient mortellement touchés. Le petit canard était d'autant plus paralysé de terreur que les chiens, aboyant et bondissant, se rapprochaient.

L'un d'entre eux, gueule énorme, crocs luisants et langue pendante, vint le renifler.

Le petit ferma les yeux... mais le chien, soudain, se désintéressa de lui.

– Que fais-tu ici tout seul ?
Tu es si laid que tu nous plais !
Viens vivre avec nous
dans les roseaux !

– Je suis si vilain qu'il n'a pas eu le courage de me mordre !

Caché parmi les roseaux, il attendit que tout redevienne silencieux. Puis il quitta au plus vite le marais et marcha jusqu'au soir. Le soleil se couchait lorsqu'il aperçut enfin une chaumière. La porte était ouverte et il était si fatigué qu'il entra et s'endormit aussitôt dans un coin.

Une grand-mère vivait là avec un chat qui savait aussi bien ronronner que cracher et une poule qui savait faire des œufs.

Le lendemain matin, lorsque la grand-mère le découvrit, elle le prit pour une cane sauvage car elle était très myope.

– Quelle chance, j'aurai des œufs de cane !

Soudain, des coups de feu et,
bientôt, apparurent
les chasseurs…

31

Mais après trois semaines, elle n'avait toujours pas vu un seul œuf. Quand le petit canard se disputait avec le chat et la poule – qui étaient très prétentieux et voulaient toujours avoir raison – la poule s'exclamait :

– Tu ne sais même pas faire un œuf, alors tais-toi donc !

Le petit canard devint de plus en plus mélancolique. De plus, il regrettait la vie en plein air du marais. Un jour, il se confia à la poule :

– Ah ! comme il serait bon de se laisser aller au fil de l'eau !

– Au fil de l'eau ? Quelle

Les deux jeunes mâles, mortellement touchés, tombèrent dans le marais.

idée ! À ne rien faire de tes journées, voilà
que tu divagues !

– Si tu savais comme c'est agréable de se
baigner !

– Ah oui ? Eh bien, demande un peu au chat
et à notre maîtresse ce qu'ils en pensent !

– Vous ne pouvez pas comprendre...

– Vraiment ? Parce que monsieur se croit
sans doute beaucoup plus intelligent que
nous ?

Alors le petit canard décida de s'en aller. Il
retrouva le marais, nagea dans des étangs,
des canaux et des fossés, mais sa joie était
gâchée parce qu'il était toujours seul.

L'automne arriva ensuite et il commença à

**Dans la chaumière,
une grand-mère vivait en compagnie d'un chat
qui savait ronronner et cracher
et d'une poule qui savait faire des œufs.**

redouter le froid. Le vent était glacé et le ciel roulait souvent de gros nuages gris. Un soir, au coucher du soleil, il vit s'envoler de magnifiques oiseaux blancs.

Il les regarda déployer leurs immenses ailes blanches, tendre leur long cou gracieux et s'élever dans le ciel en lançant des cris étranges. Longtemps il les suivit des yeux : c'étaient des cygnes en partance pour les pays chauds, et lorsqu'ils disparurent dans les nuages, il sentit en son cœur une nostalgie profonde et douce. Jamais il ne les oublierait.

– Comme ce doit être agréable d'être l'un d'entre eux !

L'hiver fut précoce et, bientôt, l'eau gela. Une nuit, les pattes du petit canard demeurèrent collées à la glace. Au petit matin, un

– Se baigner, ah !
comme ce serait agréable !
– Quelle idée affreuse !
– Vous ne pouvez pas comprendre !

Longtemps il les regarda :
c'étaient des cygnes en partance
pour les pays chauds,
et il sentit en son cœur
une nostalgie profonde et douce.
Jamais il ne les oublierait.

paysan le délivra et le rapporta chez lui.

– Les enfants, regardez ce que j'ai trouvé !

– Qu'est-ce que c'est ? Je peux le caresser ? Il sait voler ?

Tout heureux, les enfants voulurent jouer avec lui mais le petit canard, terrorisé, s'échappa de la table et tomba dans le seau de lait, qu'il renversa. La fermière, furieuse, s'empara du balai.

– Non mais, regardez-moi ce bazar qu'il me met !

Dégoulinant de lait, il s'élança et atterrit sur la motte de beurre, dérapa et plongea dans

le tas de farine. Les enfants riaient aux éclats de le voir ainsi, blanc de la tête aux pieds,

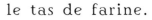

Le petit canard s'échappa
et renversa le seau de lait.
Furieuse, la fermière s'empara du balai.

et c'était à qui l'attraperait le premier :

– À moi ! Il est à moi !

– Non, je le tiens ! C'est moi qui l'ai !

Il réussit finalement à s'envoler, s'échappa de la cuisine et retrouva la neige. L'hiver fut long, cette année-là.

Un jour, le printemps revint et, sur l'eau du marais, le petit canard prit son envol. Il avait beaucoup grandi et ses ailes robustes battaient l'air avec force et le portaient sans peine. Bientôt, il arriva en vue d'un magnifique jardin où se trouvait une pièce d'eau et il aperçut trois superbes cygnes. Il reconnut aussitôt les oiseaux royaux qu'il

Dégoulinant de lait,
il s'élança et atterrit
sur la motte de beurre, dérapa
et plongea dans le tas de farine.

avait vus, bien des mois auparavant, partir pour les pays chauds et, bien qu'il fût convaincu que ces cygnes ne voudraient pas de lui, il se sentit irrésistiblement attiré par eux.

À tout prendre, il préférait mourir sous leurs coups de bec plutôt que de devoir subir de nouveau les humiliations des animaux de la basse-cour, la méchanceté des hommes et la cruauté d'un autre hiver.

À peine les cygnes l'eurent-ils aperçu à leur tour qu'ils se dirigèrent vers lui. Le vilain petit canard, baissant la tête, s'apprêtait donc à mourir, quand soudain il vit sa propre image dans l'eau et... fut émerveillé.

Où donc était passé le poussin vilain et ridicule ? Il s'était métamorphosé en un très

Il aperçut des cygnes très beaux
et se sentit irrésistiblement
attiré par eux.

beau cygne !
Les autres
cygnes s'incli-
nèrent devant
lui puis l'entou-
rèrent pour le fêter et
le caresser de
leurs becs.

Jamais encore il n'avait été aussi heureux.
Peu importait qu'il fût né dans une basse-
cour puisqu'il était sorti d'un œuf de cygne !
Il tendit son cou vers le ciel et battit des
ailes, fou de joie.

Fin

**Baissant la tête, il vit soudain son
image dans l'eau et fut émerveillé :
il s'était métamorphosé
en un cygne magnifique !**